KU-014-374

# Y BWS HUD ac O.M.B.

ACC. No: 02661311

STRAEON DENU DARLLEN

# Y BWS HUD

# O.M.B.

## Eurgain Haf
### Lluniau gan Hannah Doyle

# I Cian Harri a Lois Rhodd

Argraffiad cyntaf: 2016
ⓑ testun: Eurgain Haf 2016

Cedwir pob hawl.
Ni chaniateir atgynhyrchu unrhyw ran o'r cyhoeddiad hwn,
na'i gadw mewn cyfundrefn adferadwy, na'i drosglwyddo
mewn unrhyw ddull na thrwy unrhyw gyfrwng, electronig, electrostatig,
tâp magnetig, mecanyddol, ffotogopïo, recordio, nac fel arall,
heb ganiatâd ymlaen llaw gan y cyhoeddwyr, Gwasg Carreg Gwalch,
12 Iard yr Orsaf, Llanrwst, Dyffryn Conwy, Cymru LL26 0EH.

Rhif Llyfr Safonol Rhyngwladol:
978-1-84527-572-3

Cyhoeddwyd gyda chymorth Cyngor Llyfrau Cymru

Llun clawr: Hannah Doyle
Cynllun clawr: Eleri Owen

Cyhoeddwyd gan Wasg Carreg Gwalch,
12 Iard yr Orsaf, Llanrwst, Dyffryn Conwy, Cymru LL26 0EH.
Ffôn: 01492 642031
Ffacs: 01492 642502
e-bost: llyfrau@carreg-gwalch.com
lle ar y we: www.carreg-gwalch.com

Argraffwyd a chyhoeddwyd yng Nghymru

# Cynnwys

# Y Bws Hud

Hen drwyn bach oedd Mabli Mai. Roedd hi wrth ei bodd yn busnesu. O oedd, o fore gwyn tan nos! A dweud y gwir, doedd dim byd yn well ganddi na rhoi ei thrwyn smwt ym musnes pawb arall. Ac roedd hyn yn aml yn ei chael i bob math o ddyfroedd dyfnion. Fel y prynhawn rhyfedd hwnnw pan gamodd ar y Bws Hud ...

Roedd Nain a Taid yn symud tŷ ac roedd Mabli a'i rhieni wedi dod i'w helpu i bacio. Ond roedd Mabli yn fwy o niwsans nag o help, oherwydd wrth i bethau fynd i mewn i'r bocsys byddai hi'n eu tynnu allan eto i'w harchwilio. Www, beth yw hwn, Nain? Ble gafoch chi hwn, Taid? O, dyma ddel – be ydi o?

"Mabli fach, pam nad ei di i'r lolfa i wylio'r teledu am ychydig?" awgrymodd Mam yn reit bigog. Penderfynodd Mabli mai gwell fyddai ufuddhau. Ond doedd dim byd werth ei wylio ar y teledu. Ni allai fusnesu chwaith yn y drôrs a'r cypyrddau, gan fod eu cynnwys i gyd wedi ei bacio mewn bocsys.

"O, mae hyn mor ddiflas-piflas!" cwynodd. Bron mor ddiflas ag aros am fws, meddyliodd wrth fusnesu drwy'r ffenest ar y rhes o bobl yn yr arhosfan bysiau dros y ffordd i'r tŷ.

Yna fe gafodd syniad. Be am i mi fynd draw i fusnesu a gweld i ble mae'r holl bobl yna'n mynd? Wnaiff Mam a Dad ddim sylwi fy mod wedi mynd gan eu bod yn rhy brysur yn helpu Nain a Taid i bacio.

Agorodd Mabli y drws ffrynt yn araf a
sleifio allan i'r stryd ar flaenau ei thraed.
Roedd yna bobl ryfedd iawn yr olwg yn
aros yn y rhes.

Sylwodd ar ddwy hen wraig wedi eu
gwisgo o'u corun i'w sawdl mewn dillad
du, gyda hetiau pigfain ar eu pennau.
Roedd y ddwy yn siarad fel melinau
pupur ac yn gweu sanau ar yr un pryd
gydag edafedd gwyrdd llachar oedd yn
stemio ac yn drewi.

Sylwodd Mabli hefyd ar fynach mewn clogyn hir brown â chwfl mawr dros ei ben, a gallai deimlo ei lygaid yn treiddio drwyddi. Wrth ei ochr, taflai cawr o ddyn ei gysgod dros bawb gyda'i ysgwyddau llydan fel bryniau.

"Wedi dod i ddal y bws nesa wyt ti, ia, del?" holodd un o'r hen wragedd yn yr het bigfain. Dechreuodd ei ffrind gecian chwerthin yn afreolus.

"BWS NESA – ha ha! Da iawn rŵan, Heti!"

Dechreuodd Mabli deimlo'n annifyr. Oedden nhw'n chwerthin ar ei phen hi, tybed? Sythodd ei chorff a phenderfynu dangos nad oedd hi'n malio botwm corn amdanyn nhw.

"Ia!" atebodd yn hyderus. "I ble mae'r bws nesa yn mynd?"

"Wel i Un Man ac i Bob Man, siŵr iawn," arthiodd yr hen wraig arall. "Am gwestiwn twp!"

Cyn pen dim rhygnodd bws deulawr anghyffredin iawn yr olwg rownd y gornel. Yn y ffenest fach ar flaen y bws roedd y rhif a'r enw 1 MAN. Wrth i'r bws stopio sylwodd Mabli nad oedd modd gweld i mewn gan fod y ffenestri i gyd wedi eu tywyllu. Hisiodd y drysau yn agored.

"Wyt ti'n dod i mewn neu beidio? Fedra i ddim aros yma drwy'r dydd," gwaeddodd y gyrrwr arni. Doedd Mabli ddim wedi bwriadu mynd ar y bws – dim ond dod draw i funesa wnaeth hi. Ond roedd hyn yn gyfle rhy dda i'w golli.

Cerddodd i lawr eil y bws gan chwilio am sedd. Roedd pawb ar y bws wedi stopio siarad ac yn rhythu arni fel petai ganddi gyrn yn tyfu o'i phen. Roedd y bws bron yn llawn felly bu'n rhaid iddi eistedd wrth ochr y cawr oedd yn yr arhosfan, ac roedd hwnnw eisoes yn llenwi tri chwarter y sedd.

Stwffiodd Mabli ei hun wrth ei ymyl a syllu arno wrth i'r bws gychwyn symud. Roedd ganddo ysgwyddau llydan a thrwyn llawn plorod, a symudai'r blew trwchus yn ei ffroenau yn ôl ac ymlaen wrth iddo anadlu, fel brigau'r coed yng nghanol storm.

"Hei, wyt ti'n gwybod ei bod hi'n ddigywilydd i syllu ar bobl?" meddai llais gwichlyd.

Edrychodd Mabli ar y cawr ond nid oedd ei wefusau yn symud.

"Sbia arna i pan dwi'n siarad efo chdi, yr wyneb papur tŷ bach!"

Syllodd Mabli i waelod poced trowsus enfawr y cawr a gweld ellyll bach hyll, gwyrdd yn syllu arni. Dychrynodd am ei bywyd a rhuthro i eistedd mewn sedd arall.

Roedd hon yn daith fws wahanol iawn ac yn llawn o bobl (ac ellyllon) rhyfedd! Edrychodd Mabli drwy'r ffenest yn fusneslyd ar yr holl enwau dieithr a welai ar arwyddion y pentrefi wrth i'r bws fynd ar ei daith.

Aeth y ddwy wraig mewn hetiau pigfain oddi ar y bws yn LLANSANAU, oedd yn lle drewllyd iawn.

Camodd y cawr mawr oddi ar y bws yn ABERYSGWYDD, pentre yn llawn adeiladau a chestyll anferth. Roedd yr holl funsesa yma yn gymaint o hwyl!

AWTSH!!! Teimlodd Mabli rywbeth caled yn ei tharo ar ei phen a throdd o'i chwmpas i weld dau fachgen efo catapwlt yr un yn eu dwylo. Roedd y ddau yn chwerthin yn uchel ac yn pwyntio tuag ati cyn iddyn nhw gamu oddi ar y bws yn NHRE-CAS, lle nad oedd neb yn gwenu.

Wrth deithio drwy GILYCASTIAU dechreuodd criw o blant daflu wyau drewllyd a thomatos wedi pydru at y bws. Ac yna yn LLANDDRWG fe dynnodd merch ei thafod ar Mabli wrth i'r bws basio heibio.

Erbyn hyn roedd Mabli wedi cael digon ac eisiau mynd yn ôl i dŷ Nain a Taid.

"Alla i fynd yn ôl i dŷ Nain a Taid rŵan, os gwelwch yn dda?" gofynnodd i'r gyrrwr.

"Bydd pawb yn poeni amdana i." Roedd llais Mabli yn dechrau cracio dan deimlad.

"Ha, ha. Does dim mynd yn ôl i 1 Man ar y bws hud yma. Mae'n mynd i Un Man a Phob Man," meddai'r gyrrwr yn sbeitlyd. "Dyma'r bws delfrydol i unrhyw un sy'n hoffi busnesu!"

Erbyn hyn roedd pawb yn chwerthin yn uchel ar ei phen. Rhoddodd Mabli ei dwylo dros ei chlustiau a dechrau gweiddi ...

"Peidiwch â bod yn gas! Gadewch lonydd i mi. Dwi isho mynd adre. Help! Help! ... Help!"

Deffrodd yn sydyn wrth i'w mam ei hysgwyd yn ysgafn. Ac O! Dyna falch oedd hi i weld wyneb clên.

Ac er na newidiodd Mabli Mai ei ffordd yn llwyr (roedd hi'n dal yn hoffi busnesu bob hyn a hyn), o leiaf roedd ei thaith ar y Bws Hud yn golygu ei bod yn meindio ei busnes llawer mwy y dyddiau yma.

# O.M.B.

"O, Mam Bach!" ochneidiodd Orig Mwyn Benfawr. "Am lanast! Be sy'n bod hefo'r Bobl Fach y dyddiau yma? Maen nhw mor anghyfrifol. O.M.B.! Ble yn y byd ddechreua i arni, Smotyn?"

Gwthiodd gi bach ei ben euraid allan o boced gwasgod y cawr ac ymestyn i lyfu ei ên. Dyna sut y cafodd y ci bach ei enw, wrth gwrs. Edrychai yn union fel smotyn bach o'i gymharu â maint ENFAWR ei feistr.

Cawr clên a charedig oedd Orig Mwyn
Benfawr. Roedd yn byw mewn ogof o
dan y Cerrig Siglo ar y comin uwchben y
dre. Yn ddiarwybod i bawb, bu Orig yn
byw yno ers canrifoedd heb darfu ar neb
na dim. Ac er ei fod yn hapus ei fyd yn
helpu'r 'Bobl Fach', fel roedd o'n hoffi
galw rhai fel ti a fi, nid dyna oedd ei
freuddwyd.

Doedd hi ddim yn fwriad gan Orig Mwyn Benfawr i fod yn gawr clên a chymwynasgar o gwbl, ond pan aeth i Ysgol y Cewri sylwodd ei fod yn wahanol i'r cewri bach eraill. Roedden nhw i gyd eisiau bod yn un o'r Cewri Cas oherwydd dyma'r math o gewri roedd pawb yn eu hofni.

Dyma'r rhai yr oedd awduron yn dewis ysgrifennu amdanyn nhw mewn straeon, a'r rhai oedd yn bwyta plant ac yn coginio eu hesgyrn mewn crochan cawl anferth.

Roedd y Cewri Cas yn enwog am blycio awyrennau o'r awyr, am rwygo trenau oddi ar y cledrau a chreu trobyllau yn y môr gyda'u dwylo er mwyn sugno llongau mawr i'w crombil, fel dŵr yn diflannu i lawr plwg y sinc.

Ond yn anffodus, roedd Orig Mwyn Benfawr yn llawer rhy fwyn i fod yn greulon ac yn gas. Ac roedd meddwl am fwyta plant yn codi cyfog arno! Felly, fe awgrymodd ei athro, Mr N. Fawr, y byddai'n well iddo adael Byd y Cewri a mentro i Fyd y Bobl Fach, gan helpu'r trigolion yn hytrach na rhoi hunllefau iddynt.

Ac felly y bu. Ac roedd O.M.B. wedi
treulio degawdau yn astudio pobl drwy
lygad ei berisgop oedd wedi ei stwffio
drwy dwll twrch daear yn nho ei ogof o
dan y Cerrig Siglo. Roedden nhw'n hoff
iawn o fynd â'u cŵn am dro ar y comin
ac o siarad am y tywydd a hel clecs am
hwn a'r llall.

Ond yr hyn roedd y cawr clên yn ei hoffi fwyaf oedd gwrando ar eu sgwrs. A'i hoff ddywediad oedd "O, Mam Bach!" Bob dydd, bron, byddai'n clywed rhywun yn ebychu: 'O, Mam Bach, edrychwch faint o'r gloch yw hi – dwi'n hwyr!' neu 'O, Mam Bach, mae'r tywydd wedi oeri!' ac 'O.M.B., dyna gi bach ciwt!'

Efallai mai rheswm arall bod Orig Mwyn Benfawr mor hoff o'r dywediad oedd mai dyma lythrennau ei enw hefyd. Felly penderfynodd alw ei hun yn O.M.B. er mwyn bod yn gawr hip a chŵl!

Ond roedd un peth am y Bobl Fach yn gwylltio O.M.B. yn gaclwm. Roedd rhai ohonyn nhw'n greaduriaid blêr a difater iawn. Pam? Wel, am eu bod yn hoffi taflu sbwriel a lluchio pethau blith draphlith ar hyd y comin, ac roedd yn rhaid i O.M.B. glirio ar eu holau. Bob nos, wedi i'r haul fachlud, byddai wrthi'n brysur yn clirio'r sbwriel nes iddi wawrio unwaith eto.

Roedd wedi helpu sawl llwynog a chwningen, gwiwer ac aderyn bach oedd wedi mynd yn sownd mewn bag plastig.

Roedd O.M.B. hefyd yn ailgylchu llawer o'r sbwriel ar gyfer ei ddefnyddio yn ei ogof. Erbyn hyn roedd ganddo fatres enfawr ar ei wely wedi ei gwneud o dros gant o fatresi y Bobl Fach, a'r rheiny wedi eu gwnïo at ei gilydd drwy ddefnyddio hen bolyn lein yn nodwydd, a darnau o hen raff.

Roedd wedi adeiladu bwrdd o hen boptai a rhewgelloedd, ac wedi defnyddio hen ddillad i wneud tapestri lliwgar i'w roi ar wal yr ogof, wedi ei fframio â ffrâm hen wely. Rhyfeddai at y pethau yr oedd pobl yn eu lluchio i'r biniau: hen gitâr, sedd tŷ bach ... a hyd yn oed ci bach. Wir i chi!

Dyna sut y daeth Orig Mwyn Benfawr ar draws Smotyn, wedi ei stwffio'n ddidrugaredd i fin sbwriel, yn ubain am ei fam. O, Mam Bach!

Ond yn ddiweddar, roedd mwy a mwy o sbwriel yn cael ei adael ar y comin ac roedd O.M.B. ar ben ei dennyn.

Roedd rhai o'r Bobl Fach gydwybodol wedi cwyno wrth y cyngor ac roedd arwyddion wedi eu codi. Ond yn amlwg doedd y dihirod oedd yn gyfrifol am luchio'r sbwriel yn anghyfreithlon ddim yn cymryd iot o sylw ohonynt.

Roedd O.M.B. yn benderfynol o ddal y drwgweithredwyr! Ac ni fu'n rhaid iddo aros yn hir iawn cyn gallu dial arnynt.

Un nos olau leuad, pan oedd y byd i gyd yn cysgu'n dawel, clywodd sŵn rhincian lorri yn agosáu at ei ogof a theiars yn crensian ar y cerrig mân. Gwichiodd drws rhydlyd yn agored a daeth lleisiau cras dynion yn gweiddi ar ei gilydd. **CLEC, CLINC, CLANC, CLONC** – daeth crensh aflafar metel a gwydr yn cael eu taflu i bob cyfeiriad.

Gwthiodd O.M.B. ei berisgop drwy
do'r ogof er mwyn cael gweld beth a
phwy oedd yn achosi'r fath dwrw. Ac yng
ngolau'r lleuad lawn gwelodd olygfa
amheus iawn.

Roedd tri dyn wrthi'n dadlwytho pob math o hen sbwriel o gefn y lorri. Dyma'r dihirod oedd wedi bod yn taflu'r sbwriel yn anghyfreithlon – roedd yn rhaid i O.M.B. weithredu i'w stopio, a hynny ar frys. Am y tro cyntaf yn ei fywyd roedd yn RHAID i O.M.B. beidio â bod yn glên a cheisio bod yn gas!

Dechreuodd neidio i fyny ac i lawr yn ei ogof er mwyn dirgrynu'r tir uwch ei ben, a rhuodd fel llew wedi ei wylltio. Stopiodd y dynion yn stond.

"O.M.B! Daeargryn!" gwaeddodd un.

"Waaa, mae anghenfil cas yn dod i'n bwyta ni!" sgrechiodd y llall.

Erbyn hyn roedd yr holl weiddi a'r dirgryniadau wedi deffro trigolion y comin hefyd. Roedd goleuadau yn dechrau ymddangos yn ffenestri'r ystafelloedd gwely a phennau yn gwthio rhwng y llenni.

Yn ffodus roedd rhywun wedi ffonio'r heddlu a chyn pen dim roedd sŵn seirenau a goleuadau glas yn gwibio tuag at y comin. Roedd y dihirod wedi eu dal ac yn wynebu dirwy gostus iawn!

Y noson honno aeth O.M.B. a Smotyn i gysgu'n dawel yn yr ogof. Roedd y cawr wedi profi y gallai fod yn gas o dro i dro, a hynny er mwyn atgoffa'r Bobl Fach i fod yn fwy caredig wrth y tir a'r anifeiliaid o'u cwmpas.

Teitl arall yn yr un gyfres ...